Reinhold Moritzevič Glière

Two Pieces

Zwei Stücke

for Double Bass and Piano · für Kontrabass und Klavier

op. 9

KONTRABASS

F 95084

ROB. FORBERG MUSIKVERLAG

KONTRABASS

À Monsieur S. Koussevitzky

Two Pieces · Zwei Stücke

Intermezzo

Reinhold Moritzevič Glière
op. 9/1

mf
f
p
poco rit.
p a tempo
cresc. e accelerando
f
dim. rit.
p a tempo
molto rit.
più lento
pp
dim.

Tarantella

8
pp
tr
cresc.
3

Meno mosso.
mf cantabile
poco a poco cresc.
mf
pp
f
pp
p
f

8
8
8
8
8
8
10
H
8
ff
8
p
8
tr
8

mf
pp
f
mf
cresc.
pp

crescendo
molto
f
f largamente appassionato
ff
ff